¡Piojos en mi Pelo!

David Shannon

Scholastic Inc.

A las madres de todo el mundo
y sus valiosas armas antipiojos

Originally published in English as *Bugs in My Hair!*
Translated by J.P. Lombana

Copyright © 2013 by David Shannon
Translation copyright © 2015 by Scholastic Inc.

ISBN 978-0-545-84703-2

10 9 8 7 6 5 4 3 2 1   15 16 17 18 19/0

Printed in U.S.A.   08
First Spanish printing 2015

Un día, mi mamá descubrió algo terrible, espantoso...

¡Piojos!

¡¡Había INSECTOS en mi PELO!!

¡¡¡Y estaban poniendo HUEVOS*!!!

* Los huevos de piojo se llaman "liendres".

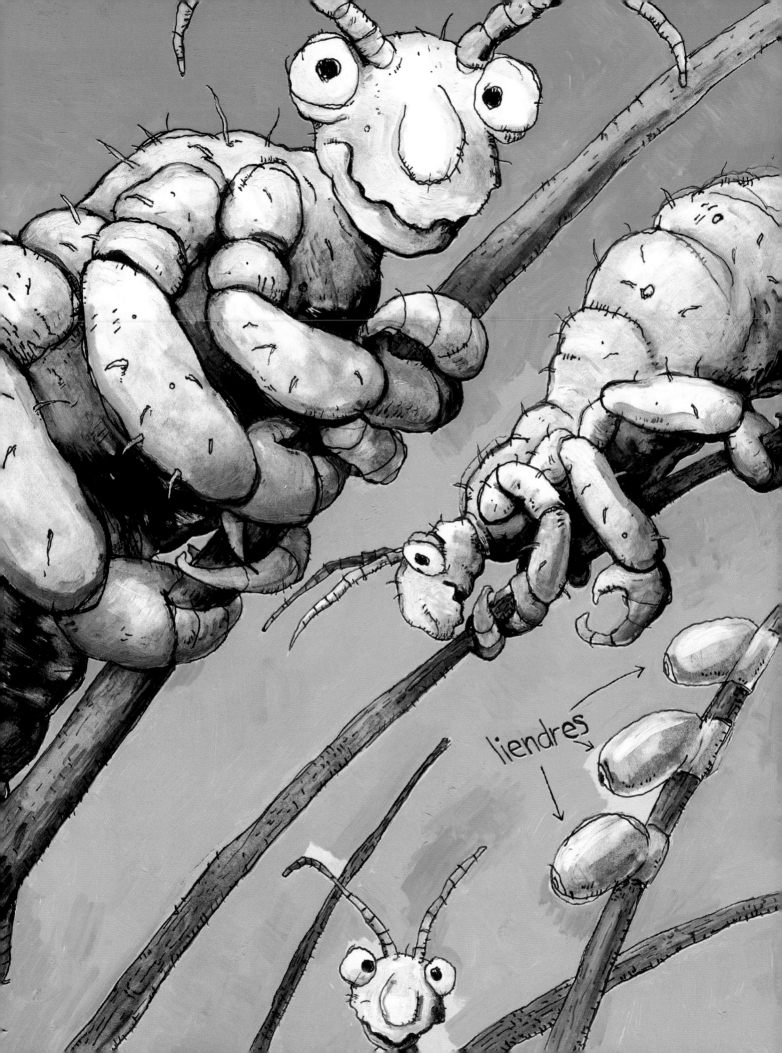

En realidad,
se estaban dando
un festín con mi
SANGRE.*

* ¡puaj!

Algunos no querían aceptar que tenían piojos.

"Es caspa nada más".

"Creo que es arena de la playa".

"Debe de ser ceniza del volcán que está en Pogo Pogo".

Otros pensaban que tenían piojos aunque no fuera así. Mi mamá sentía picor con solo hablar de estos animalitos. ¡Su problema no era lo que tenía <u>sobre</u> la cabeza sino lo que tenía <u>dentro</u>!

¡Oí hablar de

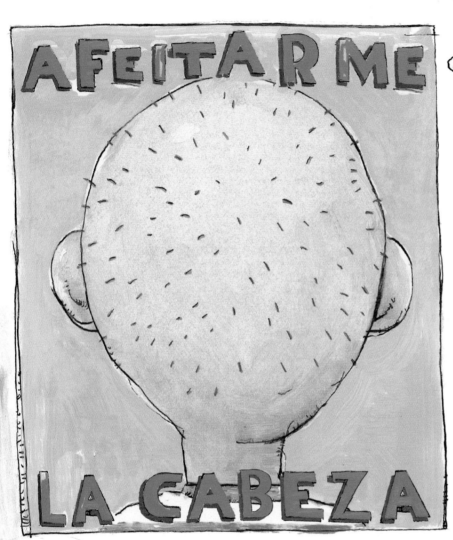

AFEITARME
LA CABEZA

BOMBARDEAR
los INSECTOS con
los químicos más
fuertes que existan.

¡Todos parecían

muchos remedios.

MAYONESA

TERRIBLES!

Es muy difícil deshacerse de los piojos.

Mamá empezó a lavar ropa todos los días
para que los piojos no se multiplicaran.

¡Parecía que ahora controlaban nuestras vidas!

GUERRA!

Peine para piojos →

Mamá leyó muchos libros y revistas y se armó con varias reconocidas armas antipiojos.

Por fin, todo estaba
lavado, rociado, peinado,
revisado y lustrado. ¡Fuimos
a un lugar donde hacían
un tratamiento profesional
contra piojos y dijeron que
ya no tenía piojos!

Por primera vez en mucho tiempo dormí toda la noche en paz.

Hasta que...

Así que tuve que pasar por todo eso otra vez y ahora, por fin, esos piojos asquerosos y espantosos desaparecieron.
Pero de ahora en adelante...

¡No volveré a arriesgarme!